1580242579

中华人民共和国国家标准

城市消防站设计规范

Design code for fire station

GB 51054-2014

主编部门：中华人民共和国公安部
批准部门：中华人民共和国住房和城乡建设部
施行日期：2 0 1 5 年 8 月 1 日

中国计划出版社

2014 北 京

中华人民共和国国家标准
城市消防站设计规范
GB 51054-2014

☆

中国计划出版社出版

网址：www.jhpress.com

地址：北京市西城区木樨地北里甲11号国宏大厦C座3层

邮政编码：100038　电话：(010) 63906433 (发行部)

新华书店北京发行所发行

三河富华印刷包装有限公司印刷

850mm×1168mm　1/32　2.25印张　54千字

2015年5月第1版　2015年5月第1次印刷

☆

统一书号：1580242·579

定价：14.00元

版权所有　侵权必究

侵权举报电话：(010) 63906404

如有印装质量问题，请寄本社出版部调换

中华人民共和国住房和城乡建设部公告

第588号

住房城乡建设部关于发布国家标准《城市消防站设计规范》的公告

现批准《城市消防站设计规范》为国家标准,编号为GB 51054—2014,自2015年8月1日起实施。其中,第3.0.9、4.1.7、4.2.2、4.2.8、4.2.9(8、9)、4.15.2、5.1.10(3、6)、6.5.4条(款)为强制性条文,必须严格执行。

本规范由我部标准定额研究所组织中国计划出版社出版发行。

中华人民共和国住房和城乡建设部
2014年12月2日

前言

根据住房城乡建设部《关于印发〈2009年工程建设标准规范制订、修订计划〉的通知》（建标〔2009〕88号）的要求，规范编制组经广泛调查研究，认真总结经验，参考有关国际标准和国外先进标准，并在广泛征求意见的基础上，制订本规范。

本规范共6章，内容包括总则、术语、选址和总平面设计、建筑设计、消防站场地设计、建筑设备与其他设施。

本规范中以黑体字标志的条文为强制性条文，必须严格执行。

本规范由住房城乡建设部负责管理和对强制性条文的解释，由公安部消防局负责日常管理，由公安部上海消防研究所负责具体技术内容的解释。执行过程中如有意见和建议，请寄送公安部上海消防研究所（地址：上海市中山南二路601号；邮政编码：200032）。

本规范主编单位、参编单位、主要起草人和主要审查人：

主 编 单 位：公安部上海消防研究所

参 编 单 位：河北省公安消防总队
黑龙江省公安消防总队
青海省公安消防总队
四川省公安消防总队
江苏省公安消防总队
公安部沈阳消防研究所
上海现代建筑设计集团
华东建筑设计研究院有限公司

主要起草人：薛　林　王丽晶　周　天　曹丽英　曹永强
何　宁　吕欣驰　彭　琼　冯旭东　朱玉贵

　　　　　李　芳　代思敏　钱恒宽　施　巍
主要审查人: 李引擎　顾　均　兰　彬　安庆新　陈　焱
　　　　　陈众励　王仕国　江　平　陈永胜　王士军
　　　　　陶其刚

目 录

1 总　　则 ……………………………………………………（ 1 ）
2 术　　语 ……………………………………………………（ 2 ）
3 选址和总平面设计 …………………………………………（ 3 ）
4 建筑设计 ……………………………………………………（ 5 ）
   4.1 一般要求 ………………………………………………（ 5 ）
   4.2 消防车库 ………………………………………………（ 8 ）
   4.3 通信室 …………………………………………………（ 9 ）
   4.4 体能训练室 ……………………………………………（ 10 ）
   4.5 执勤器材库和训练器材库 ……………………………（ 10 ）
   4.6 被装营具库 ……………………………………………（ 11 ）
   4.7 清洗室、烘干室 ………………………………………（ 11 ）
   4.8 器材修理间、呼吸器充气室 …………………………（ 11 ）
   4.9 灭火救援研讨室、电脑室 ……………………………（ 12 ）
   4.10 图书阅览室 …………………………………………（ 12 ）
   4.11 会议室 ………………………………………………（ 12 ）
   4.12 俱乐部 ………………………………………………（ 13 ）
   4.13 公众消防宣传教育用房 ……………………………（ 13 ）
   4.14 干部备勤室 …………………………………………（ 13 ）
   4.15 消防员备勤室 ………………………………………（ 14 ）
   4.16 餐厅、厨房 …………………………………………（ 14 ）
   4.17 家属探亲用房 ………………………………………（ 15 ）
   4.18 浴室 …………………………………………………（ 15 ）
   4.19 锅炉房 ………………………………………………（ 16 ）
   4.20 心理辅导室 …………………………………………（ 16 ）

 4.21 晾衣室(场) ·· （16）
 4.22 贮藏室、盥洗室 ·· （16）
 4.23 配电室和空调机房 ···································· （17）
 4.24 油料库 ··· （17）
 4.25 其他辅助建筑 ·· （18）
 4.26 台阶、坡道和栏杆 ···································· （18）
 4.27 走道和楼梯 ··· （19）
 4.28 建筑造型与装修 ······································ （20）
5 消防站场地设计 ·· （21）
 5.1 室外训练场 ·· （21）
 5.2 道路 ··· （25）
6 建筑设备与其他设施 ··· （26）
 6.1 给水排水 ··· （26）
 6.2 采暖、通风、空调和防排烟 ······················· （26）
 6.3 防雷与接地 ·· （27）
 6.4 综合布线 ··· （27）
 6.5 电气 ··· （27）
本规范用词说明 ··· （29）
引用标准名录 ·· （30）
附：条文说明 ··· （31）

Contents

1 General provisions .... (1)
2 Terms .... (2)
3 Site selection and general layout .... (3)
4 Building construction design .... (5)
    4.1 General requirements .... (5)
    4.2 Firefighting vehicle room .... (8)
    4.3 Communication room .... (9)
    4.4 Training room .... (10)
    4.5 Storage room for on-duty equipments and
        training equipments .... (10)
    4.6 Storage room for clothing and bedding facilities ..... (11)
    4.7 Laundry room and drying room .... (11)
    4.8 Repair room and breath apparatus refilling room ...... (11)
    4.9 Firefighting and rescue discussion room
        and computer room .... (12)
    4.10 Reading room .... (12)
    4.11 Conference room .... (12)
    4.12 Club .... (13)
    4.13 Public fire safety education room .... (13)
    4.14 Fire chief dormitory .... (13)
    4.15 Fire fighter dormitory .... (14)
    4.16 Dining room and kitchen .... (14)
    4.17 Family member visiting room .... (15)
    4.18 Bathroom .... (15)

4.19	Boiler house	(16)
4.20	Psychological counseling room	(16)
4.21	Clothes hanging room or patio	(16)
4.22	Storage room and washroom	(16)
4.23	Power distribution room and air-conditioning room	(17)
4.24	Oil storage	(17)
4.25	Other auxiliary buildings	(18)
4.26	Foot step, ramp and handrail	(18)
4.27	Passageway and stairway	(19)
4.28	Architectural image and fit up	(20)

5 Field design for fire station .... (21)
   5.1 Outside training field .... (21)
   5.2 Road .... (25)

6 Building equipment and other facilities .... (26)
   6.1 Water supply and drainage .... (26)
   6.2 Heating, ventilating, air-conditioning and smoke-controlling .... (26)
   6.3 Lightning protection and electrical grounding .... (27)
   6.4 Generic cabling .... (27)
   6.5 Electricity .... (27)

Explanation of wording in this code .... (29)
List of quoted standards .... (30)
Addition: Explanation of provision .... (31)

1 总 则

1.0.1 为了规范城市消防站(以下简称"消防站")的设计,提高消防站用房、设施和场地规划布局及配置的科学性和合理性,做到安全适用、技术先进、经济合理,制定本规范。

1.0.2 本规范适用于城市新建、改建和扩建消防站的设计。

本规范不适用于战勤保障消防站的设计。

1.0.3 消防站的设计除应符合本规范外,尚应符合国家现行有关标准的规定。

2 术　　语

2.0.1 消防站　fire station

城镇公共消防设施的重要组成部分,是公安、专职或其他类型消防队的驻在基地,主要包括建筑、道路、场地和设施等。

2.0.2 普通消防站　normal mission fire station

有明确辖区,主要承担火灾扑救和一般灾害事故抢险救援任务的消防站。

2.0.3 特勤消防站　special mission fire station

主要承担特种灾害事故应急救援和特殊火灾扑救任务的消防站,对有明确辖区要求的,同时承担普通消防站任务。

2.0.4 消防员备勤室　fire fighter dormitory

供消防员执勤备战时睡眠、休息或学习的房间。

2.0.5 出警通道　fire engine path

从消防车库门口至消防站主出入口或城市道路之间的消防车道。

2.0.6 执勤楼　fire station building

容纳相关业务用房和辅助用房便于消防员值班和备战的建筑场所。

2.0.7 训练塔　training tower

供消防员进行身体素质、登高技巧和高楼灭火救生等训练的塔式构筑物。

2.0.8 滑杆　fire station sliding pole

供消防员从高处直接滑降到指定部位方便快速出动的圆柱形杆状物。

3 选址和总平面设计

3.0.1 消防站的执勤车辆主出入口应设在便于车辆迅速出动的部位,且距医院、学校、幼儿园、托儿所、影剧院、商场、体育场馆、展览馆等人员密集场所的公共建筑的主要疏散出口和公交站台不应小于50m。

3.0.2 消防站与加油站、加气站等易燃易爆危险场所的距离不应小于50m。

3.0.3 辖区内有生产、贮存危险化学品单位的,消防站应设置在常年主导风向的上风或侧风处,其边界距生产、贮存危险化学品的危险部位不宜小于200m。

3.0.4 消防站车库门直接临街的应朝向城市道路,且应后退道路红线不小于15m。

3.0.5 消防站车库门在消防站院内时,消防站主出入口与城市道路的距离应满足大型消防车辆出动时的转弯半径要求。

3.0.6 消防车出警通道不应为上坡。

3.0.7 消防车主出入口处的城市道路两侧宜设置可控交通信号灯、标志标线或隔离设施等,30m以内的路段应设置禁止停车标志。

3.0.8 消防站内应设置业务用房、业务附属用房、辅助用房、训练场地与车道、训练设施、给水排水设施以及其他必要的建(构)筑物,并应合理布局。

3.0.9 消防站备勤室不应设在3层或3层以上。

3.0.10 有条件的消防站,可将执勤楼、训练区、生活区分区设计。

3.0.11 消防支(大)队与消防中队集中布置时,两者宜相对独立布置,或采用两栋楼并列,以连廊的形式连接。两部分宜分别设置出入口。

3.0.12 消防站不宜设在综合性建筑物中。当必须设在综合性建筑物中时，消防站应自成一区，并应有专用出入口。

3.0.13 消防站内应设置室外训练场地，场地内设施宜包括：业务训练设施、体能训练设施和心理训练设施。业务训练设施宜包括：训练塔、模拟训练场等；体能训练设施宜包括：篮球场、训练跑道等。应根据场地特点合理布置模拟训练场、心理素质训练场、训练塔等设施。室外训练场面积宜符合表3.0.13的规定，且不得小于1000m²。

表3.0.13 室外训练场面积

消防站类别	普通消防站		特勤消防站
	一级普通消防站	二级普通消防站	
面积(m²)	2000	1500	2800

注：1 有条件的消防站，应设置宽度大于或等于15m，长度宜为150m的训练场地。

2 在执行表3.0.13的规定确有困难时，其面积可适当减小。并应根据需要在若干此类消防站的适中地点设置宽度大于或等于15m，长度宜为150m训练场地的消防站。

3.0.14 消防站内应合理设置消防车道和绿化用地。

3.0.15 消防站容积率可按0.5～0.6进行测算。

4 建筑设计

4.1 一般要求

4.1.1 消防站业务用房和业务附属用房的门和通道设置应有利于快速出动。

4.1.2 消防站业务用房和业务附属用房的使用面积指标可按表4.1.2确定。

表4.1.2 消防站业务用房和业务附属用房的使用面积指标（m²）

房屋类别	名　称	消防站类别		
		普通消防站		特勤消防站
		一级普通消防站	二级普通消防站	
业务用房	消防车库	540～720	270～450	810～1080
	通信室	30	30	40
	体能训练室	50～100	40～80	80～120
	训练塔	120	120	210
	执勤器材库	50～120	40～80	100～180
	训练器材库	20～40	20	30～60
	被装营具库	40～60	30～40	40～60
	清洗室、烘干室、呼吸器充气室	40～80	30～50	60～100
	器材修理间	20	10	20
	灭火救援研讨、电脑室	40～60	30～50	40～80

续表 4.1.2

房屋类别	名称	消防站类别		
		普通消防站		特勤消防站
		一级普通消防站	二级普通消防站	
业务附属用房	图书阅览室	20～60	20	40～60
	会议室	40～90	30～60	70～140
	俱乐部	50～110	40～70	90～140
	公众消防宣传教育用房	60～120	40～80	70～140
	干部备勤室	50～100	40～80	80～160
	消防员备勤室	150～240	70～120	240～340
	财务室	18	18	18

4.1.3 体能训练室、执勤器材库、清洗室、烘干室、器材修理间、呼吸器充气室等的设置宜临近消防车库。

4.1.4 消防站辅助用房的使用面积指标可按表 4.1.4 确定。

表 4.1.4 消防站辅助用房的使用面积指标（m²）

房屋类别	名称	消防站类别		
		普通消防站		特勤消防站
		一级普通消防站	二级普通消防站	
辅助用房	餐厅、厨房	90～100	60～80	140～160
	家属探亲用房	60	40	80
	浴室	80～110	70～110	130～150
	医务室	18	18	23
	心理辅导室	18	18	23
	晾衣室（场）	30	20	30
	贮藏室	40	30	40～60
	盥洗室	40～55	20～30	40～70

续表 4.1.4

房屋类别	名称	消防站类别		
		普通消防站		特勤消防站
		一级普通消防站	二级普通消防站	
辅助用房	理发室	10	10	20
	设备用房（配电室、锅炉房、空调机房）	20	20	20
	油料库	20	10	20
	其他	20	10	30～50

4.1.5 辅助用房中功能相近的用房宜集中设置。

4.1.6 辅助用房中有噪音、异味、辐射和易燃易爆危险等的用房，设置时宜远离备勤室、探亲用房等居住人员的房间。

4.1.7 消防站的建筑耐火等级不应低于二级。

4.1.8 消防站内建筑的防火设计应符合现行国家标准《建筑设计防火规范》GB 50016 的有关规定。

4.1.9 消防站建筑物位于抗震设防烈度为 6 度～9 度地区的，应按乙类建筑进行抗震设计，并应按本地区设防烈度提高 1 度采取抗震构造措施。其中，位于抗震设防烈度 8 度～9 度地区消防站建筑的消防车库的框架、门框、大门等影响消防车出动的重点部位应按现行国家标准《建筑抗震设计规范》GB 50011 的有关规定进行抗震变形验算。

4.1.10 消防站的建筑外观应主题鲜明，造型应庄重简洁，宜采用体现消防站特点的装修风格，具有明确的标识性与可识别性，并应与周边环境相协调。

4.1.11 消防站的内装修应适应消防员生活和业务训练的需要，并宜采用色彩明快和容易清洗的装修材料。

4.1.12 建筑节能设计应符合现行国家标准《公共建筑节能设计标准》GB 50189 的有关规定。

4.2 消防车库

4.2.1 消防车库应布置在建筑物正面一层便于车辆迅速出动的部位。车库内每个车位的面积可按 90m² 设置。

4.2.2 消防车库的基本尺寸应符合下列要求：

1 车库内消防车外缘之间的净距不应小于 2.0m；

2 消防车外缘至边墙、柱子表面的距离不应小于 1.0m；

3 消防车外缘至后墙表面的距离不应小于 2.5m；

4 消防车外缘至前门垛的距离不应小于 1.0m；

5 车库的净高不应小于 4.5m，且不应小于所配最大车高加 0.3m。

4.2.3 消防车库应设置 1 个修理间和 1 个检修地沟。修理间应用防火隔墙、防火门与其他部位隔开，且不宜靠近通信室。检修地沟上必须设置可移动的防护盖板，盖板应能承受 500kg/m² 载重，地沟内应设置排水和照明措施，地沟尺寸应能满足日常检修车辆的要求，且长度不宜小于 7m，宽度不宜小于 0.9m，深度不宜小于 1.2m。室内未设检修地沟时，应在室外适宜位置设置检修槽，检修槽位置不应干扰正常训练及活动。

4.2.4 消防车库门应按每个车位独立设置，并宜设自动开启装置，设自动开启装置的应有应急手动功能，宜与火警受理终端台联动；门的宽度不应小于 3.5m，高度不应小于 4.3m。严寒及寒冷地区的车库门的设置应考虑保暖性要求。

4.2.5 消防车库的设计应设置车辆充气、充电和废气排出的设施。

4.2.6 消防车库内外地面及沟、管盖板的承载能力应按最大吨位消防车的满载轮压进行设计，最小荷载不应小于 35t。

4.2.7 车库地面和墙面应便于清洗，且地面应有排水设施。

门前地面材料宜采用硬质材料铺筑，直接临街的车库门前地面应向城市道路边线做 1%～2% 的坡度。

4.2.8 消防车库的停车位均应设倒车定位装置。

4.2.9 车库内设置的滑杆应符合下列要求：

1 滑杆直径应为 0.08m～0.10m；

2 滑杆的数量宜按一个值勤战斗班设一根布置；

3 滑杆的底部应设置直径不小于 0.8m 的弹性垫；

4 滑杆入孔直径宜为 0.9m～1.0m，其周围应设置防护栏等安全防护设施；

5 滑杆应位于使滑降消防员到达车辆时间最短的地方；

6 滑杆应安装在消防车库墙壁的附近或嵌入凹室；

7 滑杆上方及降落处应设置照明设施；

8 在滑杆整个长度范围内，滑杆中心与最近的障碍物（墙壁、管道、停车隔间门通道）的距离不应小于 0.75m；

9 滑杆设置至三层及以上楼层时，应设置为交替滑杆，不应直接滑至一层。

4.2.10 消防员进入消防车库的侧门宜双向开启，宽度不宜小于 1.4m，门上应设有观察窗；通道口不宜设台阶。

4.3 通 信 室

4.3.1 通信室宜设在车库旁边，通信室的门应直通车库并靠近车库正门一侧，向室内开启。通信室与车库之间的墙上宜设有可开启窗户。

4.3.2 通信室内宜设置值班室及卫生间。

4.3.3 通信室内应设置设备间或设备区。

4.3.4 通信室地面应设置防水层，并应铺设防静电地板。

4.3.5 通信室的火警受理终端台应设在便于通信员从可开启窗户观察车辆出动情况的地方。

4.3.6 通信室的墙面上，应设置不少于 5 个电源插座，且不宜设置在同一面墙上；火警受理终端台下地面，应设置不少于 2 个电源插座；设备间或设备区的墙面上应设置不少于 3 个电源插座。

4.3.7 通信室的布线应包括有线通信、无线通信、计算机网络、联动控制装置(警灯、警铃、火警广播、车库门)、视频监控、应急警报控制等有关线路。

4.3.8 通信室及其设备间的供电、防雷与接地、综合布线、防静电、照度、室内温、湿度等应符合现行国家标准《消防通信指挥系统设计规范》GB 50313 的有关规定。

4.3.9 通信室及其设备间不应设置在电磁场干扰或其他可能影响通信设备工作的用房附近。

4.4 体能训练室

4.4.1 体能训练室净高不宜低于 2.8m。

4.4.2 体能训练室的门应向外开启并设置观察窗,其高度、宽度应满足人员和设备进出的要求。

4.4.3 体能训练室应设置适合爬梯机、多功能训练机、跑步机、拉力机、杠铃、哑铃、体重机等健身器材、设施的训练区域。

4.4.4 训练设施的配置应保障两组人员同时开展训练。

4.4.5 多功能训练机应固定安装于地面,防止倾覆。

4.4.6 体能训练室的墙面宜采用耐用的饰面。地面宜选用耐擦洗的木地板或橡胶底座的塑料地板。

4.4.7 体能训练室的墙面、顶棚和地面宜采取降低噪声的措施。

4.5 执勤器材库和训练器材库

4.5.1 执勤器材库和训练器材库宜设置在一楼。训练器材库宜布置在训练塔附近。

4.5.2 应根据器材的种类设置必要的存储分区。各存储分区间的通道和间隔应合理设置。

4.5.3 器材库内应根据需要设置必要的储物架,并应合理布置。

4.5.4 器材库内应通风良好,并应保持干燥。

4.5.5 器材库门直接面向室外时,室内地坪标高应高出室外场地地面设计标高,且不宜小于 0.30m。门前应做 10%～20%的坡道。

4.5.6 器材库地面应采用耐磨、不起灰砂、强度较高的面层材料,并应采取防潮措施。

4.5.7 门窗应开关灵活、密封性好。窗的大小、高度应按通风、采光、建筑立面、管道安装以及节能等因素综合确定。

4.5.8 内墙及顶棚应具有防霉、防潮性能,且应不易积灰,方便清洁。

4.6 被装营具库

4.6.1 被装营具库宜与消防员备勤室设置在同一楼层。

4.6.2 被装营具库内应设固定的个人用衣柜。

4.6.3 被装营具库应具有良好的通风,并应保持干燥。

4.7 清洗室、烘干室

4.7.1 清洗室、烘干室应留有设备进出的设备洞。

4.7.2 清洗室应有良好的通风,并应设置地漏。

4.7.3 烘干室应设置 380V 配电箱。

4.8 器材修理间、呼吸器充气室

4.8.1 器材修理间、呼吸器充气室应设置空气充填泵、气瓶防爆箱、装具架、工作台、超声波清洗机、气瓶及其他设备夹具、设备清洗水槽等,宜设置能搬运重物的电动葫芦。

4.8.2 呼吸器充气室应有良好的通风。条件许可时,宜为空气充填泵设置通风机和通风管道,并设置室外取气口和通风口,空气流通面积应满足空气压缩机吸气和设备冷却要求,空气流速宜为 6m/s～10m/s。

4.8.3 器材修理间、呼吸器充气室地面和墙壁表面应便于冲洗,地面上不应设置台阶。

4.8.4 器材修理间、呼吸器充气室门上应设观察窗,观察窗下沿距地面高度不应低于1.5m。

4.8.5 器材修理间和呼吸器充气室内应设置380V配电箱。

4.8.6 空气填充泵、工作台等设备之间应设置安全间距,其宽度应满足设备操作、拆装和运输的需要。

4.8.7 器材修理间、呼吸器充气室应按照设备需要,设置冷水及热水供应管道以及废液排放管道。

4.9 灭火救援研讨室、电脑室

4.9.1 灭火救援研讨室、电脑室的计算机接口数应根据当地经济条件适量选配,条件许可的消防站宜按每人一台设计。

4.9.2 电脑桌和通道的布局应便于紧急出动。

4.9.3 电脑室的布线应包括有线通信、计算机网络等有关线路。

4.9.4 灭火救援研讨室应设置电子白板、黑板、音响、投影系统等设备。

4.9.5 灭火救援研讨室、电脑室的地板应有防静电要求,其电源功率应能满足所有电脑同时使用的要求。

4.9.6 灭火救援研讨室、电脑室的防雷与接地、综合布线等应符合本规范第6章的有关要求。

4.10 图书阅览室

4.10.1 图书阅览室的座位数应能满足所在队站1/2人数同时使用的要求。

4.10.2 图书阅览室应具有良好的通风和自然采光。

4.10.3 图书阅览室的门应向外开启,其宽度不应小于1.4m。

4.11 会 议 室

4.11.1 会议室的座位数应能满足队站全体人员同时使用的要求。

4.11.2 会议室的布线应包括有线通信、计算机网络、视频会议等有关线路。

4.11.3 会议室应设置音响、视频会议终端、投影系统等设备。

4.11.4 会议室应设置两个以上出入口。

4.11.5 会议室应采取必要的吸声(隔声)措施。

4.11.6 会议室的净高不应低于3m。

4.11.7 会议室的防雷与接地、综合布线等应符合本规范第6章的有关要求。

4.11.8 会议室地面或周围的墙上每隔3m～5m应设置电源插座。

4.12 俱 乐 部

4.12.1 俱乐部可根据需要和房间条件设置舞台。

4.12.2 俱乐部应满足设置一套KTV音响设施的空间要求。

4.12.3 俱乐部装修应与内部的功能和配套设施相匹配。

4.12.4 俱乐部的内装修应采取吸声(隔声)措施。

4.13 公众消防宣传教育用房

4.13.1 公众消防宣传教育用房空间大小应结合当地实际情况设置。

4.13.2 公众消防宣传教育用房可设置安全宣传教育区、模拟演习区、火场体验区、多媒体教育区、大火警示区等不同功能分区。

4.13.3 公众宣传教育用房宜设置必要的视频播放设备和音响设施设备。

4.13.4 公众宣传教育用房的布局应科学合理。

4.14 干部备勤室

4.14.1 干部备勤室的办公和值勤用房可分开设置,且应与消防员备勤室处于同一楼层。

4.14.2 干部备勤室应设置电话。若办公室和值勤宿舍分开设置时,均应设置电话。

4.14.3 干部备勤室应设置两路网络接口。

4.15 消防员备勤室

4.15.1 消防员备勤室应有良好的朝向,宜靠近卫生间,且应有通往车库的直接通道,通道净宽不应小于2.0m。

4.15.2 消防员备勤室设置在二层时,两侧应有楼梯进入车库,且滑杆不应设置在备勤室内。

4.15.3 消防员备勤室单个房间床位数不宜超过8个。条件许可的情况下,宜在消防员备勤室设置独立的卫生间。

4.15.4 床位布置尺寸应符合下列规定:
  1 两个单床长边之间的距离不应小于0.60m;
  2 两床床头之间的距离不应小于0.10m;
  3 两排床或床与墙之间的走道宽度不应小于1.20m。

4.15.5 消防员备勤室内应按人数设固定的个人用衣柜。

4.15.6 在备勤室临近位置宜按每班设置1个学习室。未设置学习室时,可在消防员备勤室内设置必要的学习专用桌椅。

4.16 餐厅、厨房

4.16.1 厨房和餐厅宜设置于首层,并宜有通往消防车库的通道。

4.16.2 厨房应在操作间之外分区设置存放蔬菜、肉食的备料间和储存米、面等的食品库,并应符合国家现行相关标准的规定。

4.16.3 厨房应有直接采光、自然通风,其外窗通风开口面积不应小于该房间地面面积的1/10,且不得小于0.60m^2。

4.16.4 厨房应有满足设备放置和操作的面积。

4.16.5 厨房操作间应设置洗涤池、案台、炉灶、固定式橱柜(或隔板、壁龛)等设施或预留位置。设施布置应符合操作流程,并应有必要的操作空间。

4.16.6 厨房应有排除油烟、给排水、隔油等设施,墙、地面应能防水,并易于清洁。地面应防滑,且应比一般房间地面低15mm。

4.16.7 餐厅的门宽、高应满足紧急情况下快速出动的要求,并应向外开启,地面应采取一定的防滑措施。

4.16.8 厨房内应当设置380V配电箱,并应满足各类用电设备的负荷要求。

4.17 家属探亲用房

4.17.1 家属探亲用房宜布置在不影响执勤备战和业务训练的部位。

4.17.2 家属探亲用房内应设有独立卫生间。

4.17.3 家属探亲用房内宜设置电话、互联网和有线电视接口。

4.17.4 家属探亲用房宜按20m^2一间设置。

4.18 浴 室

4.18.1 浴室应与备勤室处于同一楼层,浴室内喷淋头数量应能满足两个班同时洗浴的要求。

4.18.2 浴室内应设有独立的更衣区域。

4.18.3 外开门淋浴隔间的平面尺寸不应小于1.00m×1.20m(宽度×深度);内设更衣凳的淋浴隔间的平面尺寸不应小于1.00m×1.60m(宽度×深度)。

4.18.4 浴室内的冷、热水供应以及水压和水量应能满足所有喷淋头同时使用的要求。

4.18.5 室内上下水管和浴室顶棚应防冷凝水下滴,浴室热水管应采取防止烫伤措施。

4.18.6 地面、地面沟槽、管道穿楼板及楼板接墙面处应防水、防渗漏;离地高度1.8m以下的墙面应做防水处理。

4.18.7 地面、墙面或墙裙的面层应采用不吸水、不吸污、耐腐蚀、易清洗的材料。

4.18.8 地面应防滑,地面标高宜低于走道标高,并应有坡度坡向地漏或水沟。

4.18.9 浴室天花板应使用防水型材料。

4.18.10 浴室内应设置必要的取暖、通风和给排水设施。

4.18.11 浴室内应采取局部等电位联结措施,所有金属管道和金属构件应与局部等电位端子箱可靠连接。

4.19 锅 炉 房

4.19.1 在采暖地区的消防站当无城市热网时可设置锅炉房。

4.19.2 锅炉房的位置选址及设计应符合现行国家标准《锅炉房设计规范》GB 50041 的有关规定。

4.20 心理辅导室

4.20.1 心理辅导室选址应本着安静和方便的原则,选择采光、通风条件良好的地方。

4.20.2 心理辅导室应根据功能分区,可包括心理检测区、个体咨询区、情绪疏导区等。

4.20.3 心理辅导室的颜色选择和设备配置应符合心理辅导者的心理特点。

4.21 晾衣室(场)

4.21.1 晾衣室(场)宜靠近盥洗室,并应有良好的采光及通风。

4.21.2 晾衣室(场)的地面应采取必要的防水和排水措施。

4.21.3 晾衣场应设置衣物晾晒架。

4.21.4 晾衣场应设置防雨设施。寒冷地区的晾衣场应有封闭设施。

4.22 贮藏室、盥洗室

4.22.1 贮藏室应有良好的通风,并应保持干燥。

4.22.2 盥洗室、厕所应与消防员备勤室处于同一楼层,且应符合下列规定:

1 不应直接布置在餐厅、医疗室、变配电室等有严格卫生要求或防水、防潮要求用房的上层;

2 卫生设备配置的数量应符合专用建筑设计规范的规定;

3 卫生用房宜有天然采光和不向邻室对流的自然通风,无直接自然通风和严寒及寒冷地区用房宜设自然通风道;当自然通风不能满足通风换气要求时,应采用机械通风;

4 地面、墙面等设计应符合本规范第4.18.6条、第4.18.7条和第4.18.8条的规定;

5 男女厕所宜分设前室,或有遮挡措施;

6 厕所宜设置独立的清洁间;

7 严寒及寒冷地区的消防站盥洗室应设有水加热设备。

4.22.3 外开门的厕所隔间平面尺寸不应小于0.90m×1.20m(宽度×深度);内开门的厕所隔间平面尺寸不应小于0.90m×1.40m(宽度×深度)。

4.22.4 卫生设备间距应符合现行国家标准《民用建筑设计通则》GB 50352的有关规定。

4.23 配电室和空调机房

4.23.1 配电室的设计应符合现行国家标准《低压配电设计规范》GB 50054的有关规定。

4.23.2 空调机房的设计应符合现行国家标准《采暖通风与空气调节设计规范》GB 50019的有关规定。

4.24 油 料 库

4.24.1 油料库宜单独设置,当与其他用房共用一栋建筑时,则应设独立的防火分区。贮存量不超过0.4t的油料库,当作为车库服务的附属建筑时,可与车库贴邻建造,但应采用防火墙隔开,并应设置直通室外的安全出口。

4.24.2 油料库内地面宜采用不产生火花的面层,需要时宜设防水层。

4.24.3 油料库应有良好的通风,宜设置相应的防晒、防火、防爆、防潮、防雷、防静电、防腐以及防泄漏等安全设施,并应设置明显的标志。

4.24.4 油料库的耐火等级、防火间距以及灭火器设置等应符合现行国家标准《建筑设计防火规范》GB 50016和《建筑灭火器配置设计规范》GB 50140的有关规定。

4.25 其他辅助建筑

4.25.1 消防站应设置值班岗亭。岗亭应设置可靠的遮阳、避雨、防撞等措施,宜采用安全、防晒、内设空调的封闭式玻璃岗亭。内部宜设置通信及应急警报开关等装置。

4.25.2 消防站应依托站内建筑或训练塔等设置专门的水带晾晒架。

4.26 台阶、坡道和栏杆

4.26.1 台阶设置应符合下列规定:

  1 消防站室内外台阶踏步宽度不宜小于0.30m,踏步高度不宜大于0.15m,并不宜小于0.10m,踏步应防滑;

  2 室内台阶踏步数不应少于2级,当高差不足2级时,应按坡道设置;

  3 台阶高度超过0.70m并侧面临空时,应有防护设施。

4.26.2 坡道设置应符合下列规定:

  1 室内坡道坡度不宜大于1∶8,室外坡道坡度不宜大于1∶10;

  2 室内坡道水平投影长度超过15m时,宜设休息平台,平台宽度应根据使用功能或设备尺寸所需缓冲空间而定;

  3 机动车行坡道应符合现行行业标准《汽车库建筑设计规

范》JGJ 100的规定；

4 坡道应采取防滑措施。

4.26.3 阳台、外廊、室内回廊、内天井、上人屋面及室外楼梯等临空处应设置防护栏杆，并应符合下列规定：

1 栏杆应以坚固、耐久的材料制作，应能承受现行国家标准《建筑结构荷载规范》GB 50009规定的水平荷载。

2 临空高度在24m以下时，栏杆高度不应低于1.05m，临空高度在24m及24m以上时，栏杆高度不应低于1.10m；栏杆高度应从楼地面或屋面至栏杆扶手顶面垂直高度计算，当底部有宽度大于或等于0.22m，且高度低于或等于0.45m的可踏部位时，应从可踏部位顶面起计算。

3 栏杆距离楼面或屋面0.10m高度内不宜留空。

4 当采用垂直杆件做栏杆时，其杆件净距不应大于0.11m。

4.27 走道和楼梯

4.27.1 消防站内供迅速出动用的通道的净宽，单面布房时不应小于1.4m，双面布房时不应小于2.0m，楼梯净宽不应小于1.4m。通道和楼梯两侧的墙面应平整、无突出物，地面应采用防滑材料。楼梯踏步高度宜为0.15m～0.16m，宽度宜为0.28m～0.30m。楼梯倾角不应大于30°。

4.27.2 楼梯的数量、位置、宽度和楼梯间形式应满足使用方便和安全疏散的要求。

4.27.3 梯段改变方向时，扶手转向端处的平台最小宽度不应小于梯段宽度，当有搬运大型物件需要时应适量加宽。

4.27.4 每个梯段的踏步不应超过18级，且不应少于3级。

4.27.5 楼梯平台上部及下部过道处的净高不应小于2m，梯段净高不宜小于2.40m。

注：梯段净高为自踏步前缘（包括最低和最高一级踏步前缘线以外0.30m范围内）量至上方突出物下缘间的垂直高度。

4.27.6 室内楼梯扶手高度自踏步前缘线量起不宜小于0.90m。靠楼梯井一侧水平扶手长度超过0.50m时,其高度不应小于1.05m。

4.27.7 踏步应采取防滑措施。

4.28 建筑造型与装修

4.28.1 消防站的建筑外观应主题鲜明,造型应庄重简洁,宜采用体现消防站特点的装修风格,具有明确的标识性与可识别性,并应与周边环境相协调。

4.28.2 消防站的内装修应适应消防员生活和业务训练的需要,并宜采用色彩明快和容易清洗的装修材料。

4.28.3 消防站的车库大门颜色宜采用R25。

5 消防站场地设计

5.1 室外训练场

5.1.1 室外训练场应能容纳训练塔、篮球场、训练跑道、模拟训练场等；模拟训练场宜设有百米障碍训练、破拆训练、器械训练以及深井救助训练等装置和设施。

5.1.2 室外训练场应根据场地特点合理规划布置各类训练装置、设施和功能区域，各训练装置和设施周边应有必需的安全空间。各功能区域间应保持合理间距。

5.1.3 训练场地地面材料应满足训练的要求。训练跑道、单双杠等有落地缓冲需求的训练区地面宜采用塑胶或煤渣、砖粉末和土等非刚性材料，并应满足训练设施的安装、固定、更换和搬运需求。

5.1.4 封闭管理的训练场地的对外出入口不应少于两处，出口大小应满足人员出入方便、疏散安全和器材运输的要求。

5.1.5 训练场地应采取有效的排水措施，宜在训练场地外侧设排水沟，排水明沟应使用漏水盖板。

5.1.6 训练场地横向坡度不应大于1%。

5.1.7 训练跑道和篮球场应满足消防业务训练的特殊需要，同时还应设置训练时列队观摩、规范操作、器材摆放和准备活动场地以及终点线后的缓冲场地。

5.1.8 消防站跑道设置应符合下列规定：

1 应设置不低于65m×8m的训练用直跑道；

2 如场地允许，宜设置110m×10m的直跑道或200m以上环形跑道。

5.1.9 应在室外训练场适当位置布置篮球场，其尺寸不应低于

15m×28m。

5.1.10 训练塔应符合下列规定：

1 训练塔宜设在靠近训练场地尽端的部位。

2 训练塔层数不应少于六层，特勤消防站和辖区内高层建筑物较多时，可增加训练塔层数。

3 训练塔层高应为3.5m，首层层高应从室外地面算起（图5.1.10-1）。

4 训练塔应设有净宽不小于0.7m的内楼梯。每层内侧应设宽度不小于1.5m的平台，顶层应设楼板（图5.1.10-1）。

5 训练塔正面的窗口每层不应少于两个，窗口距塔边水平距离不应小于0.65m，窗间墙的宽度不应小于1.0m（图5.1.10-1）。

6 训练塔窗口的尺寸应为1.2m×1.8m，窗台板距该层地面的高度（含窗台板高度）应为0.8m（图5.1.10-1）。

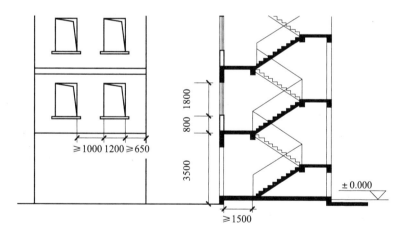

图5.1.10-1 窗口及平台示意图（单位：mm）

7 训练塔的窗台上应设有可更换的木质窗台板，窗台板宽度应为0.4m，窗台板应突出前塔壁0.05m。训练塔塔壁上应设置木质垫板（图5.1.10-2）。

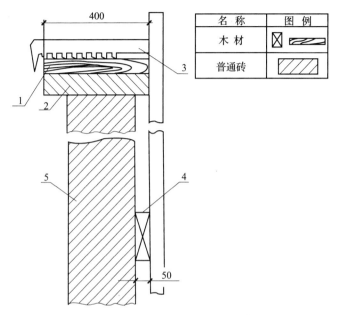

图 5.1.10-2 窗台及塔壁垫板结构示意图(单位:mm)
1—木质窗台板;2—窗台;3—挂钩梯;4—木质塔壁垫板;5—训练塔壁

8 训练塔宜设置室外消防梯。消防梯应通至训练塔顶,宜离地面 3m 高处设起,宽度不宜小于 0.5m。

9 训练塔顶部应设置绳索救援训练安全保护滑轮、安全钩、缓降器固定装置和绳索。

10 训练塔应设置攀登墙角,并应安装避雷线、落水管。

11 训练塔应设置绳索训练的固定锚点和备用锚点。锚点可以是梁、柱、楼梯栏杆或预埋的金属件。接触安全绳的部位宜采用木质材料。

12 钢结构训练塔塔体材料应选用热镀锌材料或进行热喷涂等防锈、防腐处理。

13 训练塔的正面应设置不小于 50m×8m 的训练跑道。

14 有条件的地区,训练塔可建有模拟防盗门、卷帘门、防盗网、电梯升降井、烟热训练室、低压配电室等训练设施,还可设置18m×18m登高车操作场。

5.1.11 训练塔外宜设置训练用室外消火栓和水泵接合器,其位置应避免与消防车训练或登高训练相冲突,水泵接合器宜采用地上式。

5.1.12 攀岩训练设施可依托训练塔或建筑的承重墙体进行建设。

5.1.13 百米障碍训练场应包括板障、独木桥和两条专用跑道,每条跑道不应小于100m×2.5m。

5.1.14 破拆训练场可根据需要设有模拟墙体和模拟防盗门、卷帘门、窗户栅栏、钢结构围栏等训练设施。模拟墙体可为木结构墙体、砖石砌体以及钢筋混凝土墙体等形式。

5.1.15 器械训练场宜设有单杠、双杠、爬绳和爬竿等常规训练器械和多功能体能训练器械。各种训练器械宜建在相对独立的训练区域。单杠宜采用高杠,其训练场地不宜小于4m×3m。双杠宜采用可移动升降式,当受条件限制时,也可采用埋地式双杠,其训练场地不宜小于4m×3m。

多功能体能训练器械及场地应符合现行国家标准《室外健身器材的安全 通用要求》GB 19272的有关规定。

5.1.16 深井救助训练场一般可模拟竖井、斜井、横坑中一种或多种。模拟深井训练设施可依托训练塔建设,也可建在地下,竖井与斜井可组合建设,并应符合下列规定:

1 深井救助训练设施应设有井口平台、井壁和紧急出口等结构,占地面积宜为$50m^2 \sim 100m^2$,深度不应小于7m。

2 建在地上的模拟深井训练设施,宜采用网栅结构,并应加装遮光设施;建在地下的模拟深井训练设施,宜采用钢筋混凝土结构,应设置应急照明和紧急出口,宜设置监控系统。

3 建在地下的模拟横坑、斜井应设置紧急通道、导向灯、应急广播和送风设备。

4 深井救助训练设施上方应设置固定安全保护滑轮、安全钩以及缓降器的承重框架。接触安全绳的部位宜采用木质材料。

5.2 道 路

5.2.1 路面面层材料宜选用沥青混凝土,也可选用水泥混凝土,但不宜选用砂石路面。

5.2.2 消防站内消防车通行的道路尺寸应满足本站最大长度消防车转弯半径和回车的要求。回车场地不应小于12m×12m,配置重型消防车时回车场地不宜小于18m×18m。

5.2.3 消防站内消防车通行的道路承载应满足重型消防车的通过要求,其他道路应满足正常通行的要求。

5.2.4 消防站内的车道宜设置必要的排水设施。窨井不宜设置在主干道和车库前。

6 建筑设备与其他设施

6.1 给 水 排 水

6.1.1 消防站的生活给排水设计应按现行国家标准《建筑给水排水设计规范》GB 50015 的有关规定执行。

6.1.2 消防站的训练场或消防车库门外应设置取水用的室外消火栓或墙式消火栓。

6.1.3 严寒及寒冷地区的消防车库内应设置供消防车上水的专用设施和排水设施,供水流量不应小于 15L/s。

6.1.4 训练塔内外应设置专用排水设施。

6.1.5 严寒及寒冷地区给排水管道、消防管道应采取防冻措施。

6.1.6 消防站内宜设置废水收集池,经处理后,达到现行国家排放标准时方可排放。

6.2 采暖、通风、空调和防排烟

6.2.1 消防站的建筑用房应优先采用自然通风消除室内余热、余湿,并应满足室内卫生要求,当自然通风不能满足要求时,宜采用机械通风。

6.2.2 位于采暖地区的消防站应按国家现行相关标准的规定设置采暖设施,并应优先使用城市热网或集中供暖。

6.2.3 消防车库的室内温度不宜低于 10℃。非采暖地区的消防车库,应根据需要采取防冻措施。

6.2.4 最热月平均温度超过 25℃地区消防站的备勤室、餐厅和通信室、体能训练室等宜设空调等降温设施或预留安装空调等降温设施的位置。

6.2.5 消防站建筑的防排烟设计应符合现行国家标准《建筑设计

防火规范》GB 50016 的有关规定。

6.3 防雷与接地

6.3.1 消防站建筑与设施的防雷应符合现行国家标准《建筑物防雷设计规范》GB 50057 和《建筑物电子信息系统防雷设计规范》GB 50343 的有关规定。

6.3.2 消防站的接地应符合下列要求：

1 交流功能接地、保护接地、直流功能接地、防雷接地等各种接地宜共用接地网，接地电阻应按其中最小值确定；

2 当接地采用分设方式时，各接地系统的接地电阻应按设备要求的最小值确定。

6.3.3 建筑物内应做总等电位联结，进出建筑物的金属管道、电缆的金属外皮和电缆的金属保护导管、配电设备的外壳等均应与总等电位端子箱连接。

6.4 综合布线

6.4.1 消防站宜采用光纤和铜缆同时接入的通信方式。

6.4.2 消防站的布线应符合现行国家标准《综合布线系统工程设计规范》GB 50311 的有关规定。

6.5 电 气

6.5.1 消防站的供电负荷等级不宜低于二级，并应设置配电室和备用电源。备用电源应满足消防站正常运转所需重要设备的用电需求。

6.5.2 消防站应设置正常照明和应急照明两种系统，并应符合下列规定：

1 消防站主要用房及场地的照度标准应符合现行国家标准《建筑照明设计标准》GB 50034 的有关规定；

2 备勤室、车库、通信室、体能训练室、会议室、图书阅览室、餐厅及公共通道等应设置应急照明；

  3 公共走道、楼梯间应设疏散指示灯和出口指示灯；

  4 通向车库通道的所有照明灯具在报警响起时应能自动开启；

  5 应使用高效能灯具及定时钟或光电开关。

6.5.3 消防站内应设置有线通信、电视、计算机网络、视频监控和广播系统，并应符合下列规定：

  1 宜在会议室、通信室、财务室、干部备勤室、心理辅导室等设置电话插口；

  2 宜在餐厅、会议室、干部备勤室、家属探亲用房、俱乐部等设置有线电视接收点；

  3 宜在会议室、通信室、干部备勤室、家属探亲用房、俱乐部、灭火救援研讨室、电脑室等设置计算机网络接口；

  4 火警广播宜设置在各室内及走道内。

6.5.4 消防站内必须设有警铃，并应在车库大门一侧安装车辆出动的警灯和警铃。

6.5.5 消防站宜在消防车主出入口、操场、通信室、岗亭等处设视频监控终端。

本规范用词说明

1 为便于在执行本规范条文时区别对待,对要求严格程度不同的用词说明如下:
 1）表示很严格,非这样做不可的:
    正面词采用"必须",反面词采用"严禁";
 2）表示严格,在正常情况下均应这样做的:
    正面词采用"应",反面词采用"不应"或"不得";
 3）表示允许稍有选择,在条件许可时首先应这样做的:
    正面词采用"宜",反面词采用"不宜";
 4）表示有选择,在一定条件下可以这样做的,采用"可"。

2 条文中指明应按其他有关标准执行的写法为:"应符合……的规定"或"应按……执行"。

引用标准名录

《建筑结构荷载规范》GB 50009
《建筑抗震设计规范》GB 50011
《建筑给水排水设计规范》GB 50015
《建筑设计防火规范》GB 50016
《采暖通风与空气调节设计规范》GB 50019
《建筑照明设计标准》GB 50034
《锅炉房设计规范》GB 50041
《低压配电设计规范》GB 50054
《建筑物防雷设计规范》GB 50057
《建筑灭火器配置设计规范》GB 50140
《公共建筑节能设计标准》GB 50189
《综合布线系统工程设计规范》GB 50311
《消防通信指挥系统设计规范》GB 50313
《建筑物电子信息系统防雷设计规范》GB 50343
《民用建筑设计通则》GB 50352
《室外健身器材的安全　通用要求》GB 19272
《汽车库建筑设计规范》JGJ 100

中华人民共和国国家标准

城市消防站设计规范

GB 51054-2014

条文说明

制 订 说 明

《城市消防站设计规范》GB 51054—2014,经住房城乡建设部2014年12月2日以第588号公告批准发布。

本规范制订过程中,编制组经广泛调查研究,认真总结消防部队消防站建设设计过程中的实践经验,同时参考了美国标准《消防和医疗急救站设计的安全与健康考虑》FA 168、《美国机场消防站建筑设计标准》、《统一设施标准消防站》和德国标准《消防站》DIN14092－1～DIN14092－5,并在广泛征求意见的基础上,制订本规范。

为便于广大设计、施工、科研、学校等有关人员在使用本标准时能正确理解和执行条文规定,《城市消防站设计规范》编制组按章、节、条顺序编制了本标准的条文说明,对条文规定的目的、依据以及执行中需注意的有关事项进行了说明,还着重对强制性条文的强制理由作了解释。但是,本条文说明不具备与标准正文同等的法律效力,仅供使用者作为理解和把握标准规定的参考。

目 录

1 总　则	（37）
2 术　语	（38）
3 选址和总平面设计	（39）
4 建筑设计	（42）
4.1 一般要求	（42）
4.2 消防车库	（42）
4.3 通信室	（46）
4.4 体能训练室	（46）
4.5 执勤器材库和训练器材库	（46）
4.7 清洗室、烘干室	（47）
4.8 器材修理间、呼吸器充气室	（47）
4.9 灭火救援研讨室、电脑室	（48）
4.10 图书阅览室	（48）
4.11 会议室	（49）
4.12 俱乐部	（49）
4.14 干部备勤室	（49）
4.15 消防员备勤室	（49）
4.16 餐厅、厨房	（50）
4.18 浴室	（50）
4.19 锅炉房	（50）
4.20 心理辅导室	（51）
4.22 贮藏室、盥洗室	（51）
4.24 油料库	（51）
4.25 其他辅助建筑	（51）

4.26 台阶、坡道和栏杆 ………………………………………（52）
　　4.27 走道和楼梯 ………………………………………………（52）
5 消防站场地设计 ………………………………………………（53）
　　5.1 室外训练场 ………………………………………………（53）
　　5.2 道路 ………………………………………………………（56）
6 建筑设备与其他设施 …………………………………………（58）
　　6.1 给水排水 …………………………………………………（58）
　　6.2 采暖、通风、空调和防排烟 ……………………………（58）
　　6.3 防雷与接地 ………………………………………………（59）
　　6.4 综合布线 …………………………………………………（59）
　　6.5 电气 ………………………………………………………（59）

1 总 则

1.0.1 本条规定了制定本规范的目的。为使消防站的建筑设计有利于执勤战备、业务训练、队伍管理,提高消防队伍灭火救援战斗力,以适应经济建设和人民生命财产安全的需要,本着适用、经济、节能和环保的原则,根据《中华人民共和国城乡规划法》、《中华人民共和国消防法》和《城市消防站建设标准》等法律规定,制定本规范。本规范是进行消防站设计、审核、施工和验收的依据;也是编制消防规划和评估、审批消防站建设项目的重要依据。

1.0.2 本条规定了本规范的适用范围,主要适用于《城市消防站建设标准》所规定的普通消防站和特勤消防站。

本条中其他消防站主要是指《城市消防站建设标准》规定对象之外的具有执勤备战功能的企业消防站、民办消防站等。

战勤保障消防站是主要承担消防装备、器材和物资的储备、运输、维修、保养等职能,并为普通和特勤消防站执行任务提供应急综合保障的消防站。鉴于战勤保障消防站与常规执勤备战的普通、特勤消防站在功能、房间设置、场地要求等方面都有较大的差异,且目前战勤保障消防站的建设尚处于起步阶段,还未完全规范和定型,可在其成熟时再纳入本规范。

1.0.3 本条的规定明确了本规范和其他现行有关标准规范之间的关系。除应执行本标准要求外,还应符合现行国家标准《建筑设计防火规范》GB 50016、《建筑照明设计标准》GB 50084、《民用建筑设计通则》GB 50352 等相关标准的有关规定。

2 术 语

2.0.1 本条明确了消防站的定义。消防站与消防队具有不同的内涵,是指公安、专职或其他类型消防队的驻在基地,主要包括建筑、道路、场地和设施等。

2.0.4 本条明确了消防员备勤室的定义。消防员备勤室已不是传统意义的宿舍概念,还具有作为消防员学习场所的功能。

3 选址和总平面设计

3.0.1～3.0.3 规定了消防站的选址条件。

3.0.1 本条规定了消防站的主出入口位置。

消防站主出入口位置应保证消防队在接到出动指令后,能够迅速安全地出动;消防站执勤车辆主出入口距人员密集的公共场所不应小于50m,主要是为在接警出动和训练时不致影响医院、学校、幼儿园、托儿所等单位的正常活动,避免因发出警报引起惊慌造成事故;同时,也是为了防止人流集中时影响消防车迅速安全地出动,贻误灭火救援战机。

3.0.4 根据现行国家标准《道路车辆外廓尺寸、轴荷及质量限值》GB 1589—2004的规定,我国汽车、挂车外廓尺寸的最大限值车身最长为18m,考虑到近年来我国的消防车辆种类和质量都发生了较大的变化,大型消防车车长已达到15.9m。又通过对上海近十年建造的消防站调研,其车库门至道路红线距离均不小于15m,且实际使用效果较好。因此,将后退红线距离定为不小于15m,以保证出车时视线良好,便于消防车迅速出动和回车时有一定的倒车场地,不致影响行人和车辆的交通安全。

3.0.7 本条规定了消防站执勤车辆主出入口两侧应设置可控交通信号灯、标志、标线、隔离设施等,提前警示驾驶员,保障快速、安全出警。《中华人民共和国道路交通安全法实施条例》中规定消防站入口30m内禁止停车,故明确了消防站主入口30m应设置禁止停车标志。原则上可按出警通道的中心线为基准左右各15m来标定。

3.0.8 本条规定了消防站内应设置的必要用房、设施等,如图1所示某消防站总平面布局图示例。

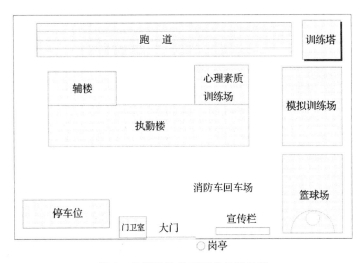

图1 某消防站总平面布局图示例

3.0.9 本条为强制性条款,必须严格执行。

对消防站备勤室设置的楼层作了强制规定,一般应设在2层及2层以下。特殊情况下,备勤室的设置受客观条件限制必须设在3层时,应在通往车库的楼梯宽度、数量和滑杆等方面提高等级,以满足1min快速出动的条件要求,但不得设置在4层及4层以上。

据调研,国外一般将消防员备勤室设置在1层尽可能靠近消防车库的位置。我国由于城市用地紧张,往往很难保证消防员备勤室设置在1层,大部分消防站都设置在2层,个别地方也有设置在3层的现象。但根据1min接警出动的时间要求,设置在3层已经较难保证消防员在规定时间内接警出动,故不提倡将消防员备勤室设置在3层或3层以上。确实要设置在3层时,为了达到快速出动的时间要求,必须在楼梯宽度、数量和滑杆等方面提高等级以保证消防员安全快速的出动。

3.0.10 本条规定了消防站的设计原则。消防站的设施建设应与营区文化环境相互融合,根据场地条件及地域特点建设荣誉墙、雕塑、休闲吧、谈心亭及文化回廊等文化设施,打造集地域特色文化、部队政治文化、消防职业文化、官兵主体文化为一体的消防警营文化氛围。

3.0.11 本条明确了消防支(大)队与消防中队集中布置时的设计原则。两部分宜分别设置出入口,便于管理与训练。

3.0.12 本条明确了消防站不宜设在综合性建筑物中。特殊情况下,设在综合性建筑物中的消防站应自成一区,消防站的场地应与其他功能区有围墙或格栅隔离,消防站用房应有独立的楼梯和通道,且应与其他功能区进行物理隔离。消防站主出入口应为专用,考虑到保障消防车快速出动和安全性,不得与其他功能区出入口共用。

3.0.13 本条规定了消防站内应设置的训练设施的种类和室外训练场的面积。

根据《城市消防站建设标准》建标 152—2011 对消防站室外训练场的组成和面积规定,室外训练场应能容纳训练塔、篮球场、训练跑道、模拟训练场等,考虑到满足训练和尽量节约土地使用要求,消防站室外训练场的宽度取标准篮球场宽度为 15m,室外训练场的长度还综合考虑到满足水带铺设与供水训练、水枪喷射、百米障碍跑以及消防梯训练时助跑距离的实际需要,取 150m 较为合适。

3.0.15 本条规定了建设用地总面积确定时的容积率。由于各地政府规划部门对容积率要求不同,在容积率测算上可以结合本地区实际进行测算。

4 建筑设计

4.1 一般要求

4.1.1 本条规定了消防站业务用房和业务附属用房门和通道的一般要求,应有利于快速出动。

4.1.2 参照《城市消防站建设标准》建标152—2011,本条规定了消防站各种业务用房和业务附属用房的使用面积指标。其中,建筑用房的使用面积均不包括走道面积。

4.1.4 本条参照《城市消防站建设标准》建标152—2011,规定了消防站各种辅助用房的使用面积指标。

4.1.5 因盥洗室、浴室、理发室、医务室和心理辅导室等辅助用房的功能相近,宜集中设置。

4.1.6 对于会产生噪音(如空调机房、锅炉房、餐厅)、异味(如厨房、盥洗室)、辐射(如电脑房、配电室)和易燃易爆风险(如油料库)等的辅助用房,可能对人员的安全和健康带来影响,故设置时宜远离备勤室、探亲用房等居住人员的房间。

4.1.7 本条为强制性条款,必须严格执行。本条规定了消防站的建筑耐火等级,为了保障消防员人身安全,不应低于二级。

4.1.8 本条规定了消防站的防火设计应符合《建筑设计防火规范》GB 50016 的有关规定。

4.1.9 本条规定了消防站建筑物的抗震设计原则。

4.1.10、4.1.11 对消防站建筑物内外装修做出了规定。各地可结合实际需要和经济发展水平选择装修材料,以进一步体现消防站建筑的特色,适应不同地区、气候特点与生活、训练的需要。

4.2 消防车库

4.2.2 本条为强制性条款,必须严格执行。本条规定了消防站车库的位置和基本尺寸要求,这与消防员的生命安全息息相关。

车库内消防车外缘之间的净距不小于 2.0m,主要是考虑相邻消防车在消防员打开车门和器材厢门取放消防装备器材时,有足够的空间,不互相干涉。消防车外缘至边墙、柱子表面的距离不小于 1.0m,主要是考虑在消防车侧面要留出消防员快速出入、日常检查的行走通道,通道宽度不小于 1.0m。消防车外缘至后墙表面的距离不小于 2.5m,主要是考虑消防车尾板打开所需的空间,以及消防车后方需留出衣帽架位置和消防员接警出动时着装、通过所需的空间。消防车库的高度应保证举高类消防车的进出和其他种类消防车的车顶检查空间,一般举高消防车高度在 4m 左右,故车库的净高一般应不小于 4.5m。净高为地面至顶板突出部分的距离。

4.2.3 本条对消防站车库的修理间和检修地沟进行了规定。经对上海、江苏、河北、黑龙江、青海等省的消防站检修地沟调研,发现长度基本在 7m 以上,宽度基本在 0.9m 以上,深度基本在 1.2m 以上,各地调研的检修地沟图例和尺寸见图 2 和表 1。

图 2 各地调研的检修地沟图例

表 1 各地调研的检修地沟尺寸

检修地沟尺寸	长(m)	宽(m)	深(m)
牡丹江支队	10.70	0.92	1.20
大兴安岭支队	7.20	0.90	1.30
无锡支队	7.60	0.75	1.15
青海海东支队特勤大队	11.60	0.95	1.30
青海城东中队	9.20	1.10	1.45

4.2.4 本条对消防车库门的设置原则和尺寸进行了规定。国家已经对消防车的最大宽度、高度进行了明确要求,因此门的宽度不应小于3.5m,高度不应小于4.3m。消防车库门应按每个车位独立设置,并宜设置与出警命令联动的自动开启装置,紧急情况下必须能手动、迅速开启车库门。

4.2.6 本条对消防车库内外沟、管盖板的承载能力设计进行了规定。当前登高平台消防车或载水量12t的水罐(泡沫)消防车总重基本为33t,为避免个别地区车库沉降,可适当加大车库承载量。车库地面承重荷载按照单车位不小于35t承载设计。对于60m以上的高举高消防车和18t以上的重型水罐消防车,由于其总重已超过40t,对于配备这类特种规格的消防车时,消防车库地面的承载能力设计时应专门考虑。

国内部分消防车的尺寸和重量见表2。

表 2 国内部分消防车尺寸和重量

车　　型	长(m)	宽(m)	高(m)	总重(t)
101m登高平台消防车	16.30	2.50	4.00	62
78m登高平台消防车	15.90	2.50	3.90	50
68m登高平台消防车	13.80	2.50	3.90	41
55m直臂云梯消防车	12.00	2.50	3.95	30
33m高喷消防车	11.00	2.50	3.90	30
载液量18t重型罐类消防车	12.00	2.50	3.88	41
载液量3.5t中型罐类消防车	8.00	2.50	2.90	20
载液量3t轻型罐类消防车	6.65	2.20	3.17	10

4.2.7 本条对车库地面和墙面及给排水设施进行了规定。

直接临街的车库门前地面向城市道路边线做 1‰～2‰ 的坡度,主要是考虑雨天向外快速散水的需要,避免门前积水。

4.2.8 本条为强制性条款,必须严格执行。由于消防车车身较大,库内倒车环境和条件不佳,为避免在倒车过程中发生事故,故应设置倒车定位装置,以保障消防员人身安全。

4.2.9 本条规定了车库内设置滑杆的设计要求,有条件的地方也可设置滑道,见图3。

图3 滑道示例

执勤战斗班的人数按照《公安消防部队编制序列》的规定确定。

弹性垫如为弹簧型弹性垫时,启动弹簧应调整为让最重和最轻的消防员均能安全使用滑杆。

滑杆应安装在消防车库墙壁的附近或嵌入凹室,避免消防员滑降时碰到障碍物。

本条的第8款和第9款为强制性条款,必须严格执行。在滑杆整个长度范围内,滑杆中心与最近的障碍物如墙壁、管道、停车隔间门通道等的距离,主要参考了《美国机场消防站建筑设计标准》30英寸(约为76cm)的规定,本标准圆整为75cm,以保障消防员出动时的生命安全。

消防员备勤室设置在三楼时,为保证消防员下滑时的安全,滑杆应上、下层错位设置,不能直接滑至一楼。

4.2.10 本条规定了消防车库人员进出的侧门的设计原则。消防车库侧门的宽度不宜小于1.4m,以保证2名消防员能并行同时进出。门上设置可视窗口是为了保证消防员快速出动时的安全。

4.3 通 信 室

4.3.1~4.3.9 规定了通信室的设置、设计原则。通信室与车库之间的墙上设有可开启窗户,有利于观察车库内情况和向由滑杆直接进入车库的消防员传递通信设备及出车单等信息。通信室内宜设置值班室及卫生间,便于及时接出警和生活。通信室内设置设备间或设备区,主要用于放置网络设备、标准机柜等设备。通信室大多设置在1楼,为满足防水防潮要求,地面必须设置防水层。通信室及其设备间不应设置在电磁场干扰或其他可能影响通信设备工作的用房附近,以免影响通讯效果。

4.4 体能训练室

4.4.1 本条规定了体能训练室的最低高度,以保障消防员出入和训练展开的空间高度要求。

4.4.2 本条规定了体能训练室的门的设计要求。根据美国相关标准规定,超过1个消防员使用的房间的所有门均应向车库方向开启,保证消防员接警后快速出动。

4.4.3 本条对体能训练室应设置的健身器材、设施的训练区域进行了规定,不涉及器材的数量和规格配置。

4.4.4 本条主要是为了考虑配置的设施和相关区域的设置要满足两个或两个以上组同时开展分组训练的要求。

4.4.7 本条规定了体能训练室宜采取必要的措施,以降低训练人员叫喊和使用训练器材撞击等产生的噪声。

4.5 执勤器材库和训练器材库

4.5.1 执勤器材和训练器材使用较为频繁,每天都需要进行搬运,为降低劳动强度和快速取放,宜设置在一楼,并应尽量靠近训练塔。

4.5.2 为了便于器材的日常管理统计和归类存放,器材库应根据器材的种类进行必要的存储分区。各存储分区间的通道和间隔应合理设置,以便于人员通行和器材搬运。对于橡胶、塑料、化纤类装备和使用燃油类器材因其会产生一定的气味,长时间存放相互间可能会产生一定的影响,如条件许可,可分库室存放,并增设通风设备。

4.5.3 器材库内的储物架应合理布置,以便于器材取放。

4.5.5 本条对库门直接面向室外的器材库地面设计进行了规定,考虑到器材库干燥防潮和防止雨水倒灌等要求,规定了器材库室内地坪应高于室外地面。由于搬运重物和推车通过的需要,器材库的门前应进行坡度处理,并规定坡度为10%~20%。

4.7 清洗室、烘干室

4.7.1~4.7.3 对清洗室、烘干室的位置、通风、给排水设施和动力电源进行了规定。清洗室、烘干室其门的尺寸应便于设备进出,公安部消防局统一配发给部分基层消防部队的洗衣机的尺寸为 1.65m×0.85m×1.15m(2009年)和 1.65m×0.85m×0.95m(2008年),烘干房的尺寸为 5.46m×0.99m×1.97m(2006年),烘干机的尺寸为 3.90m×0.98m×1.96m(2008年)。

4.8 器材修理间、呼吸器充气室

4.8.1 器材修理间和呼吸器充气室的功能主要是进行各种装备的检查和维护保养、呼吸器充气,因此应配置有相应的工作台、装具架、充气泵等装置。氧气呼吸器的充气较为复杂,现阶段消防站基本不具备氧气呼吸器的充气条件,均送到外部进行充气,呼吸器充气室设计主要考虑为正压式空气呼吸器进行充气。

4.8.2 充填的正压式空气呼吸器将为消防员提供清洁、新鲜的空气,保持良好的通风或设置正压通风能够保持呼吸器充气室内空气干燥,防止空气受到污染。同时考虑到空气充填泵工作噪音较大,有些消防站采购了静音型空气充填泵,该类型空气充填泵机箱全封闭,自身散热性能较差,为提高空气充填泵散热效果并且尽量确保吸入清洁干燥的空气,本规范规定有条件的可为空气充填泵设置通风机、通风管道、室外取气口和通风口,使空气充填泵形成独立的通风循环。由于不同消防站内配备的空气充填泵的规格各异,性能参数差异较大,而空气流通面积以及设计尺寸主要与空气充填泵的排气量和外形尺寸相关,因此应根据选用的空气充填泵来确定具体空气流通面积。

4.8.3 器材修理间、呼吸器充气室地面上不应设置台阶,是为了便于使用推车。

4.8.4 器材修理间、呼吸器充气室门设置观察窗是为了他人开关门时,避免干扰正在进行的压力容器搬运等工作;观察窗下沿距地面高度不低于1.5m,是为了保证操作人员能正常观察的高度需要。

4.9 灭火救援研讨室、电脑室

4.9.1 灭火救援研讨室、电脑室的计算机网络接口数应根据当地经济条件适量选配,条件许可的消防站宜按每人一台布线。

4.9.2 电脑桌和通道的布局应科学合理,以便于人员紧急出动和快速疏散。

4.9.4 灭火救援研讨室应设置电子白板、黑板、音响、投影系统等设备,便于现场演示和交流。

4.10 图书阅览室

4.10.1 灭火救援研讨、电脑室的配置的计算机都具有资料查询、学习等功能,因此图书阅览室的座位数能满足所在队站1/2人数同时使用要求即可。

4.10.3 图书阅览室的门应向外开启,是为了满足接警后的快速出动要求。

4.11 会 议 室

4.11.1~4.11.8 对会议室的功能、装修、电路设计要求等进行了规定。会议室设置两个以上出入口,是为了满足紧急出动和快速疏散的要求。因室内建声环境需要满足一定的隔声吸声、混响时间等要求,会议室应进行必要的建筑声学设计。

4.12 俱 乐 部

俱乐部一般考虑设置钢琴、手风琴、架子鼓、吉他等乐器和棋牌、台球等娱乐设施。

4.14 干部备勤室

4.14.1 干部备勤室应与消防员备勤室处于同一楼层,是为了便于日常的管理和沟通。

4.14.3 干部备勤室应设置两路网络接口,是为了满足公安专网和互联网分别设置、物理隔离的要求。

4.15 消防员备勤室

4.15.1 消防员备勤室应有通往车库的直接通道,通道宽度不应小于2.0m,是为了保证消防员能在接警后快速出动。

4.15.2 本条为强制性条款,必须严格执行。设置直通车库的滑杆和进入车库的两侧楼梯,是为了保证多人同时出动时能快速抵达车库,以尽量满足1min接警出动的时间要求。

滑杆不设置在消防员备勤室内,是为了避免消防员夜间起床和日常行走时,因失足跌落而造成不必要的人员伤害。

4.15.3 消防员备勤室单个房间床位数不宜超过8个,是出于按班设置的考虑,以尽量减少消防员夜间休息时因出动、归队、夜起等带来的相互干扰。在消防员备勤室设置独立的卫生间是出于人性化考虑,以尽量减少天冷时期消防员夜间起床的不便。

4.15.4 床位布置尺寸的相关规定参照了现行行业标准《宿舍建筑设计规范》JGJ 36 的相关要求。

4.16 餐厅、厨房

4.16.1 为了便于出警,厨房和餐厅宜设置于首层,即地面一层。

4.16.2 考虑到食品的储存和加工处理的卫生要求,规定了厨房应在操作间之外分区设置存放蔬菜、肉食的备料间和储存米、面等的食品库。

4.16.3 厨房的通风要求是为了保证食品储存和加工处理的卫生要求。

4.16.4、4.16.5 消防站厨房不同于普通住宅厨房,需要在短时间内加工食品满足较多人员的需要,加工的人员也相对较多,厨房设备的体积较大,数量较多,因此需要对厨房面积和人员的操作空间进行特殊规定。

4.16.8 为了满足煮饭用的蒸汽柜和储存用的冷冻柜等大功率设备需要的 380V 动力电源的要求,故厨房内应设置 380V 配电箱。

4.18 浴 室

4.18.1～4.18.10 参考了现行国家标准《民用建筑设计通则》GB 50352 中有关浴室的设计要求。

4.18.10 本条中的取暖设施是指浴霸、取暖器等提高室内温度的相关设施,不是指采暖地区的集中供暖设施。对于采暖地区,气温较低的非供暖期间也需设置必要的取暖设施。

4.18.11 浴室内采取局部等电位联结措施,所有金属管道与金属构件均与局部等电位端子箱可靠连接,是为了避免发生洗浴人员意外触电事故。

4.19 锅 炉 房

4.19.1 本规范适用于全国各地的城市消防站,而各地区能源情况不同,有些采暖地区可能有工业余热或废热,此情况下可从节能角度优先考虑余热或废热的利用,而不设置锅炉房。

4.20 心理辅导室

4.20.2、4.20.3 考虑到消防员是一个特殊的社会群体,24小时处于战备值勤状态,长期从事高危险、高强度、高负荷工作,心理压力远远大于普通的社会群体。据调研,不少消防员存在不同程度的心理障碍。许多基层消防站已建立了心理辅导室,并定期开展心理疏导和训练,以缓解官兵心理压力,培养官兵良好的心理素质。因此,心理辅导室应进行细致设计,包含有不同的功能分区,并且重点考虑心理辅导室的颜色选择和设备配置。

4.22 贮藏室、盥洗室

4.22.2 本条对盥洗室、厕所的设计要求进行了规定。为保证消防站开放来客来访的需要,有必要设置女厕所。

4.22.4 本条对卫生设备间距进行了规定,应符合现行国家标准《民用建筑设计通则》GB 50352的有关规定。

4.24 油 料 库

4.24.1~4.24.4 油料库不同于通常意义的大型油料库,主要储存消防器材用润滑油脂、机油、液压油以及较少量的消防车用汽油、柴油等,其防火防爆等安全措施应予以重点考虑。因此本规范对油料库的防火安全设计提出了特殊要求,并且要求油料库的耐火等级和灭火器设置应符合现行国家标准《建筑设计防火规范》GB 50016和《建筑灭火器配置设计规范》GB 50140的有关规定。

4.25 其他辅助建筑

4.25.1 本条对消防站值班岗亭的设置进行了规定。岗亭内部宜设置通信及应急警报开关等装置,用于应急警报。

4.25.2 本条对消防站水带晾晒架的设置进行了规定。建议采暖地区消防站应在室内设置冬季水带晾晒架。

4.26 台阶、坡道和栏杆

4.26.1～4.26.3 本节规定了台阶、坡道和防护栏杆的设置、设计原则,应符合国家现行标准《民用建筑设计通则》GB 50352 和《汽车库建筑设计规范》JGJ 100 的规定。

4.27 走道和楼梯

4.27.1～4.27.7 为了保证消防员出动迅速、安全,对消防站的走道和楼梯的净宽及走道两侧墙面、楼梯两侧扶手等做出了相应规定,应符合现行国家标准《民用建筑设计通则》GB 50352 的规定。为避免地面过于光滑而造成出警时人员滑倒受伤,规定楼梯通道的地面应采用防滑材料。此外,楼梯踏步应平缓以利于消防员出动。

5 消防站场地设计

5.1 室外训练场

5.1.1~5.1.7 为了满足消防训练要求,本规范参考了现行行业标准《体育建筑设计规范》JGJ 31 中有关于室外训练场的内容,提出了消防站室外训练场的出入口、场地材料、坡度以及排水等的设计要求。为了训练时避免太阳光干扰,训练场应尽量采用南北朝向。

5.1.8 为方便消防员在训练场上进行水带铺设与供水训练、水枪喷射、百米障碍跑以及消防梯训练时助跑等需要,消防站室外训练场应设计直跑道,其长度应至少能够满足 3 盘水带(60m)连接训练以及必要的设备、人员空间要求,有条件的消防站可建设长度不低于 110m 的直跑道或 200m 以上环形跑道,以满足更多训练科目的要求。

本条中的训练用跑道主要用于体能训练和人与设备组合的操法训练,第 5.1.10 条第 13 款的 50m×8m 训练跑道主要用于挂钩梯、拉梯等与训练塔结合进行登高训练时的助跑,二者功能和作用不同,且可能会同时使用,原则上不宜合并。因此如果二者合并使用,规定了消防站训练场跑道长度不低于 65m 也能够满足训练塔前跑道的长度要求。

5.1.9 本条规定了篮球场应符合一个标准篮球场 15m×28m 的要求。

5.1.10 消防站中训练塔是用于绳索训练、消防梯训练等灭火救援训练的建筑。因此,训练塔应设有楼梯、模拟窗口、避雷线、落水管、攀登墙角、水带晾晒装置、室外消防梯等,并且训练塔的布置、层数、层高、模拟窗口的尺寸等应能够满足训练的要求。

本条的第 3 款和第 6 款为强制性条款，必须严格执行。考虑到挂钩梯训练的特殊要求，规定了训练塔窗台上应安装可更换的木质窗台板，并且塔壁上应安装木质垫板。为了避免设计混淆，在听取战训专家意见的基础上，本规范规定训练塔的首层层高从室外地面计算（层高 3.5m），并且规定窗台板距离楼层地面高度应包含窗台板的厚度（窗台板高度 0.8m），从而确保了从训练塔外地面到达二层窗台板的高度为 4.3m，该高度适合各类消防梯的攀登训练，能够保证训练的一致性，尤其适合长为 4m 的挂钩梯训练。

在训练塔上进行绳索训练，要求有必要的绳索固定点即锚点。为了保证安全，通常在固定绳索时，每条主绳要有两个以上的锚点，即使一个锚点破损，也不会造成坠落危险。保护锚点一般用于吊升、下降保护（如图 4），此类锚点强度不能进行度过训练。因此，在进行建筑的面板、栏杆、檩条、预制梁的设计时，应充分考虑其作为锚点的功能，其集中荷载应在最不利位置处进行重点验算，应满足承受消防员和工具重量的强度要求。

图 4 保护锚点的设置

5.1.12 考虑到依托训练塔在消防站建设攀岩训练设施，占地面积较小，可以节约土地，因此本规范提出训练场地需设置攀岩训练设施的，可依托训练塔或建筑外墙等建设，使消防站中能够开展攀岩基本训练，如图 5。

图 5　依托训练塔建设的攀岩训练设施

5.1.13 本条规定了常规军事训练用百米障碍训练设施的建设要求。通常板障采用钢质材料和木质材料，高度不应小于2m，宽度不应小于2m，木板厚度不应小于0.06m，底座宽度不应小于2.6m。独木桥采用钢质材料和木质材料，高度不应小于1.2m，宽度不应小于0.2m，总长不应小于8m，两端采用木质踏板制成斜坡，斜坡长度不应小于2m。跑道原则上不应与训练场跑道合并使用，如建设百米障碍训练设施则需要满足本规范的相关要求。

5.1.14 破拆训练场是进行破拆装备实际操作训练的小型区域，一般利用钢筋混凝土梁、柱、楼板、砖石等搭建成建筑废墟。墙体可采用木结构墙体、砖石砌体或钢筋混凝土墙体，也可利用防盗门、卷帘门、窗户栅栏、钢结构围栏等构造破拆训练墙，如图6。

图 6　建筑材料破拆训练场

5.1.15 本条规定了器械训练场的常规训练器械设置要求和训练区域要求。考虑到双杠应满足不同身高消防员的训练需要,因此宜采用可升降式,可调节高度宜为 1.20m～1.55m。

5.1.16 深井救助训练场可建设具有基本功能的深井训练设施,如图 7,可采用单体的深井救助训练设施来模拟狭小空间,开展电梯井、机井、各种储罐内的救援训练。同时,本条规定了单体深井救助训练设施的深度、面积、安全保护等要求。

图 7 单体模拟深井设施

5.2 道 路

5.2.1 根据消防站中车辆类型和行驶要求,本规范规定了消防站内道路尺寸应满足最长的消防车转弯半径、回车和承载要求;并且根据公路工程技术标准 JTG B01—2003 中 4.0.7～4.0.9 的要求,对车道的路面类型材料进行了规定。路面结构层所选材料应满足强度、稳定性和耐久性的要求,同时路面垫层材料宜便于修复。

5.2.2 消防站道路设计时,应从本地区现有的消防车辆外形尺寸和消防车穿过建筑物时宽度上应有一定的裕度等方面进行考虑。目前普通消防车的转弯半径为 9m,登高车的转弯半径为 12m。有些重型消防车和特种消防车,由于车身长度和最小转弯半径已有 12m 左右,设置 12m×12m 回车场就行不通,而需设置更大面积的回车场才能满足使用要求。在具体设计时,应根据当地的具体情况确定消防站车道的净宽、净高和回车场的大小,但最小不应小于12m×12m,供重型消防车使用时不宜小于18m×18m。

5.2.3 根据现行行业标准《消防车消防性能要求和试验方法》GB 7956—1998的规定,重型消防车指消防车底盘的厂定最大总质量大于14t的消防车。考虑到目前实际情况,很多重型消防车最大总质量都超过了14t,有些登高类车辆甚至超过30t。设置消防车道时,如果考虑不周,也会发生路面荷载过小,道路下面管道埋深过浅,沟渠选用轻型盖板等情况,从而不能承受某些重型消防车的通行荷载。因此,设计消防车道时应参考本地区重型消防车的总质量指标,重型消防车的总质量宜不小于20t。

5.2.4 本条规定了消防站车道的排水要求,做好道路排水是减少路面水损害、避免或减轻路基水毁的重要技术措施。

6 建筑设备与其他设施

6.1 给水排水

6.1.1 本条规定了消防站的生活给排水设计应按现行国家标准《建筑给水排水设计规范》GB 50015 有关规定执行。

6.1.2 为了便于消防车日常训练和出警归队后的补水需要,应在消防站的训练场或消防车库门外设置取水用的室外消火栓或墙式消火栓。

6.1.3 在严寒及寒冷地区,消防车在寒冷季节上水只能在车库内进行,因而应在车库内设置供消防车上水的专用设施和排水设施。为保证能快速上水,供水流量不小于 15L/s。

6.1.4 考虑到训练塔上经常进行喷射和灭火操作训练,应在训练塔的内外设置专用的排水设施,以防止训练塔内外的地面积水。

6.1.6 本条规定了宜在消防站场地的合适位置设置废水收集池,对日常训练产生的泡沫混合液和处置化学灾害事故后的车辆清洗废液等进行集中处理。

6.2 采暖、通风、空调和防排烟

6.2.2、6.2.3 本条对消防站采暖设置做出了规定。同时规定非采暖地区的消防车库,应根据需要采取防冻措施。

6.2.4 考虑到消防员需在消防站内 24 小时执勤备战,为改善消防员生活条件、体现以人为本,在最热月平均温度超过 25℃地区消防站的备勤室、餐厅和通信室、体能训练室等有消防员生活和活动的房间内,宜设空调等降温设施。

6.2.5 本条对消防站建筑的防排烟设计进行了规定,应符合现行国家标准《建筑设计防火规范》GB 50016 的有关规定。

6.3 防雷与接地

6.3.1～6.3.3 本节对消防站建筑物的防雷设计进行了规定,应符合现行国家标准《建筑物防雷设计规范》GB 50057 的有关要求。

6.4 综合布线

6.4.1 本条对消防站的布线进行了规定,应符合现行国家标准《综合布线系统工程设计规范》GB 50311 的有关要求。

6.5 电 气

6.5.1 本条对消防站的供电、配电和备用电等进行了规定。消防站是城市灭火与应急救援的安全保障机构,应确保其两路供电需求,故供电负荷等级不宜低于二级。消防站的备用电源应满足其正常运转所需重要设备的用电需求,包括消防控制室、消防应急照明和疏散指示标志、生活水泵、电信主机房、排污、车库卷闸等的用电。备用电源可包括发电机、UPS 或 EPS 等多种模式。

6.5.4 本条为强制性条款,消防站内必须设有警铃,并应在车库大门一侧安装车辆出动的警灯和警铃,以保障消防车出动时的行车安全、消防站主出入口的通畅。

6.5.5 为保障消防站的远程监管、消防站自身的管理运行安全、消防站主出入口的通畅、训练活动的安全监控,宜在消防车主出入口、操场、通信室、岗亭等处设视频监控终端。